bā bù hé zhēn nà

巴布和珍娜

Bob and Gina

王兰/文 · 张哲铭/图

中国书店

huáng hūn shí
黄 昏 时 ,

xī yáng de yú huī sǎ luò zài hǎi píng miàn shang
夕 阳 的 余 晖 洒 落 在 海 平 面 上 。

　　　lā　　　lā
" 啦 ……啦 …… "

bā bù yì biān tīng zhe yīn yuè　　hēng zhe gē er
巴 布 一 边 听 着 音 乐 、 哼 着 歌 儿 ,

yì biān kuài lè de niǔ niǔ yāo
一 边 快 乐 地 扭 扭 腰 ,

suí zhe jié pāi wǔ dòng le qǐ lái
随 着 节 拍 舞 动 了 起 来 。

At dusk the setting sun cast its glittering rays on the ocean.

"La La La..."

Bob was listening to music while humming and dancing to

the rhythm.

忽然，他发现海面上漂来一个瓶子。

巴布好奇地捡起瓶子，

"咦？这是什么呢？"他想。

Suddenly, he saw a bottle floating in
the ocean.

He picked it up and thought,
"Hmm, what's this?"

ā　　zhēn shì tài kě pà le
"啊！真是太可怕了。"
bā　bù　kàn dào cóng xiǎo dǎo shang fā chū lái de　　qiú jiù xìn　　　gǎn dào
巴布看到从小岛上发出来的"求救信"，感到
fēi cháng jīng yà
非常惊讶。

"Oh! How awful!" He was shocked to find an S.O.S. message from

a small island.

wǒ děi xiǎng gè bàn fǎ qù jiù tā ya
"我 得 想 个 办 法 去 救 他 呀！"

"I must find a way to help him."

bā bù gǎn jǐn zhǎo le yí gè dà bīng kuài
巴布赶紧找了一个大冰块，

zuǒ kàn kan yòu liáng liang
左看看、右量量，

yí tā dào dǐ yào zuò shén me ne
咦？他到底要做什么呢？

Bob found a big iceberg right away.

He looked it over and measured it.

What was he going to do?

bā bù mài lì de diāo záo zhe
巴 布 卖 力 地 雕 凿 着 ，

zuì hòu tā zuò chū le yì sōu bīng chuán
最 后 他 做 出 了 一 艘 冰 船 。

Bob worked hard at carving the iceberg.

Finally, he made an iceboat.

dāng bīng chuán wán chéng de shí hou
当 冰 船 完 成 的 时 候 ，

yè sè yǐ jing hěn shēn le
夜 色 已 经 很 深 了 。

bā bù ná chū dì tú
巴 布 拿 出 地 图 ，

xún zhǎo qiú jiù xìn li xiǎo dǎo de wèi zhi
寻 找 求 救 信 里 小 岛 的 位 置 。

When the boat was finished,

It was already getting dark.

Bob took out a map to look for the position

of the island.

qīng chén
清 晨 ，

bā bù jià zhe bīng chuán chū fā le
巴 布 驾 着 冰 船 出 发 了 。

tā huǎn huǎn de bǎ chuán tuī jìn hǎi li
他 缓 缓 地 把 船 推 进 海 里 ，

ná qǐ chuán jiǎng huá le qǐ lái
拿 起 船 桨 划 了 起 来 。

In the early morning, he pushed the iceboat into

the ocean, picked up the oar, and started rowing.

　　　　　wā　　　hǎo　rè　ya
"哇！ 好 热 呀！"
bā　bù　yuè　huá　yuè　kuài
巴 布 越 划 越 快 ，
zhèng wǔ　zhì　rè　de　yáng guāng　　shài　de　tā　liǎng yǎn　fā　hūn
正 午 炙 热 的 阳 光 ， 晒 得 他 两 眼 发 昏 。

"Gee! It's hot!" Bob rowed faster and faster.

The midday sun made him dizzy.

bīng chuán jiàn jiàn de róng huà le
冰 船 渐 渐 地 融 化 了 。

bā bù zhuā zhù jǐn shèng de fú bīng
巴 布 抓 住 仅 剩 的 浮 冰 ,

jiā kuài sù dù nǔ lì de yóu xiàng xiǎo dǎo
加 快 速 度 , 努 力 地 游 向 小 岛 。

The iceboat slowly melted.

Bob grasped what was left of the iceboat and

swam hard toward the island.

<ruby>终<rt>zhōng</rt></ruby><ruby>于<rt>yú</rt></ruby>，<ruby>巴<rt>bā</rt></ruby><ruby>布<rt>bù</rt></ruby><ruby>看<rt>kàn</rt></ruby><ruby>见<rt>jiàn</rt></ruby><ruby>小<rt>xiǎo</rt></ruby><ruby>岛<rt>dǎo</rt></ruby><ruby>了<rt>le</rt></ruby>。

<ruby>他<rt>tā</rt></ruby><ruby>着<rt>zháo</rt></ruby><ruby>急<rt>jí</rt></ruby><ruby>地<rt>de</rt></ruby><ruby>喊<rt>hǎn</rt></ruby><ruby>着<rt>zhe</rt></ruby>：

"<ruby>哈<rt>hā</rt></ruby><ruby>喽<rt>lóu</rt></ruby>！<ruby>你<rt>nǐ</rt></ruby><ruby>在<rt>zài</rt></ruby><ruby>哪<rt>nǎ</rt></ruby><ruby>里<rt>li</rt></ruby><ruby>呀<rt>ya</rt></ruby>？"

<ruby>巴<rt>bā</rt></ruby><ruby>布<rt>bù</rt></ruby><ruby>隐<rt>yǐn</rt></ruby><ruby>约<rt>yuē</rt></ruby><ruby>看<rt>kàn</rt></ruby><ruby>见<rt>jiàn</rt></ruby><ruby>山<rt>shān</rt></ruby><ruby>坡<rt>pō</rt></ruby><ruby>上<rt>shang</rt></ruby><ruby>有<rt>yǒu</rt></ruby><ruby>个<rt>gè</rt></ruby><ruby>身<rt>shēn</rt></ruby><ruby>影<rt>yǐng</rt></ruby>，

<ruby>他<rt>tā</rt></ruby><ruby>赶<rt>gǎn</rt></ruby><ruby>紧<rt>jǐn</rt></ruby><ruby>爬<rt>pá</rt></ruby><ruby>了<rt>le</rt></ruby><ruby>上<rt>shàng</rt></ruby><ruby>去<rt>qù</rt></ruby>。

Finally, it came into sight. Bob yelled,

"Hello! Where are you?"

He saw someone on the hillside, and

he quickly climbed up there.

当巴布看见是一位美丽的小姐躺在
树下时，他不禁脸红了。

"喔！她一定是中暑了。"他想着。

于是，巴布把手中剩余的冰块，
轻敷在她的额头上。

Bob blushed when he saw it was a beautiful girl lying under a tree.

He thought," She must have a heat stroke."

He gently put the rest of his ice on her forehead.

tā zhēng kāi yǎn jing　　mǎn huái gǎn jī de shuō
她睁开眼睛，满怀感激地说：

ng　hǎo shū fu a　xiè xie nǐ
"嗯！好舒服啊。谢谢你。"

wō　bié kè qì　wǒ shì
"喔！别客气，我是

bā bù　　bā bù bù hǎo
'巴布'。"巴布不好

yì si de zì wǒ jiè shào
意思地自我介绍。

xiè xie nǐ　bā bù　wǒ shì
"谢谢你，巴布，我是

zhēn nà　　tā shuō
'珍娜'。"她说。

She opened her eyes and appreciatively said,

"Oh, that feels so good. Thank you."

"That's OK. I'm Bob,"

he introduced himself, a bit flustered.

"Thank you, Bob.

My name is Gina," she said.

yuè guāng xia   tā men jǐn wò zhe shǒu

月 光 下 ， 他 们 紧 握 着 手 ，

yè wǎn yǒu diǎn er lěng

夜 晚 有 点 儿 冷 ，

tā men de   ài   què jiàn jiàn de rè qǐ lái le

他 们 的 "爱" 却 渐 渐 地 热 起 来 了 。

Their hands were intertwined under the moonlight.

The night was cold but love made everything warm.